yukismart.com/b

baby

bebè

boy

bambino

friends

amici

girl

bambina

smile

sorriso

cry

piangere

hair

capelli

eye

occhio

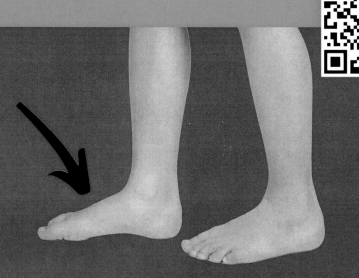

foot

piede

hand

mano

nose

naso

teeth

denti

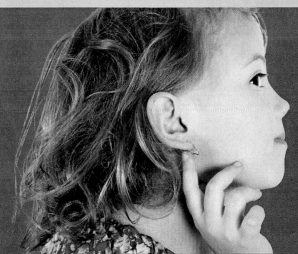

ear

orecchio

tongue

lingua

sun

sole

moon

luna

star

stella

tree

albero

bird

uccello

coat

cappotto

pants

pantaloni

dress

vestito

shoes

scarpe

red

rosso

blue

blu

yellow

giallo

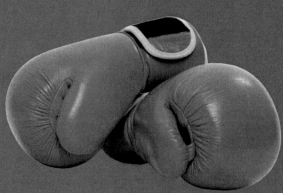

pink

rosa

white

bianco

green

verde

black

nero

multicolored

multicolore

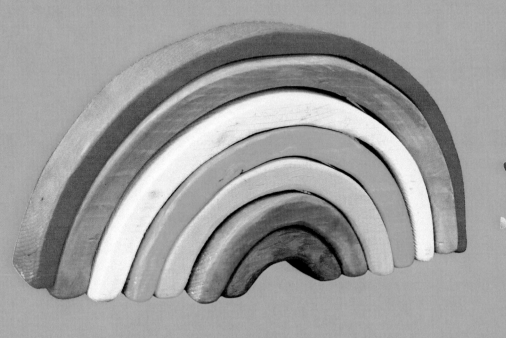

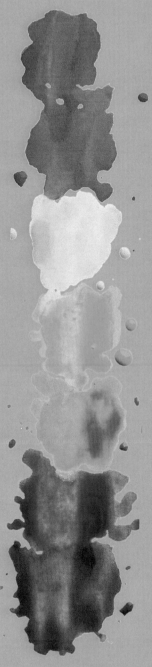

rainbow

arcobaleno

apple

mela

banana

banana

tomato

pomodoro

orange

arancia

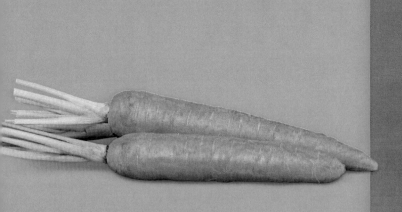

carrot

carota

peas

piselli

potato

patata

corn

mais

lemon

limone

grapes

uva

pear

pera

watermelon

cocomero

zucchini

zucchine

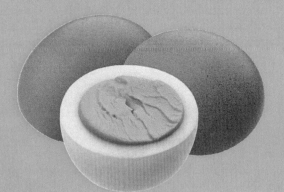

egg

uovo

mushroom

fungo

square

quadrato

circle

cerchio

rectangle

rettangolo

triangle

triangolo

cat

gatto

dog

cane

fish

pesce

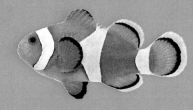

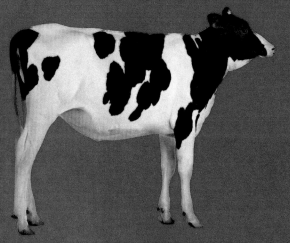

cow

mucca

duck

anatra

chick

pulcino

hen

gallina

frog

rana

pig

maiale

rabbit

coniglio

mouse

topo

horse

cavallo

sheep

pecora

flower

fiore

butterfly

farfalla

ladybug

coccinella

snail

lumaca

cake

torta

bread

pane

clock

orologio

key

chiave

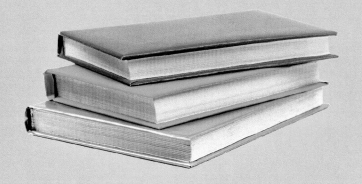

book

libro

ball

palla

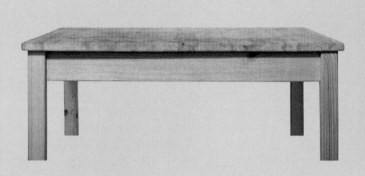

table

tavolo

plate

piatto

chair

sedia

high chair

seggiolone

fork

forchetta

knife

coltello

spoon

cucchiaio

cup

tazza

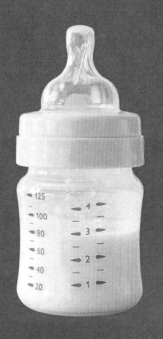

baby bottle

biberon

glass

bicchiere

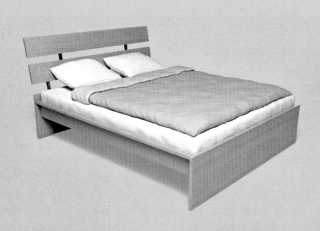

bed

letto

crib

culla

teddy bear

orsacchiotto

pacifier

ciuccio

towel

asciugamano

sink

lavandino

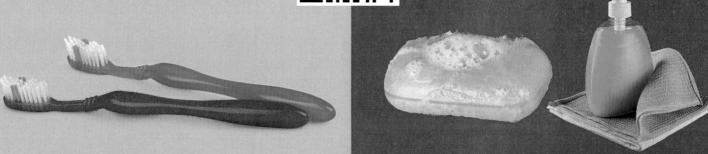

toothbrush

spazzolino da denti

soap

sapone

toilets

gabinetto

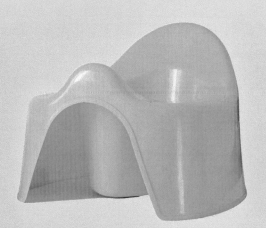

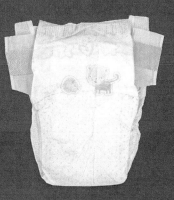

potty

vasino

diaper

pannolino

car

automobile

bike

bicicletta

plane

aereo

boat

barca

firetruck

camion dei pompieri

train

treno

toys

giocattoli

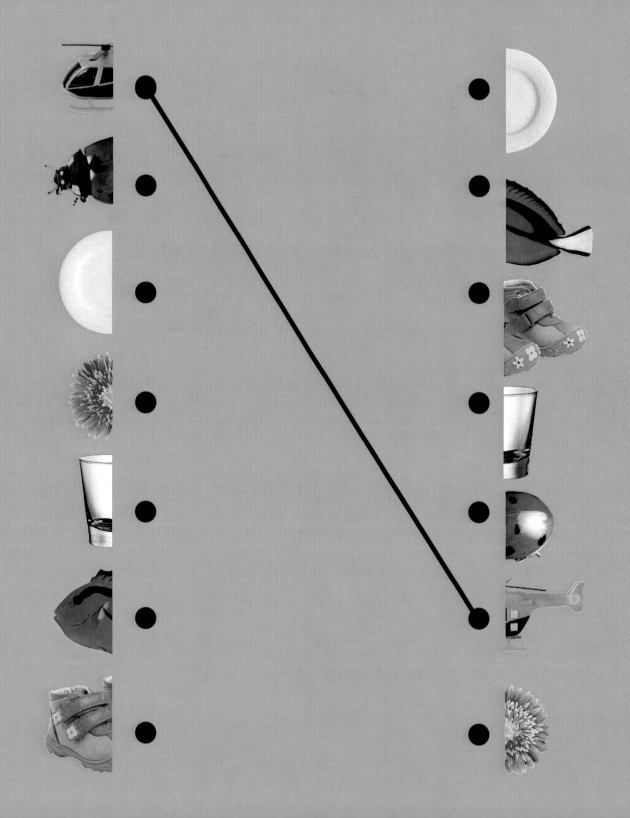

Made in United States
North Haven, CT
27 March 2024

50575203R00024